지금 해도
재밌는
한국 풍속 놀이
33가지

풀과바람 역사생각 04

지금 해도 재밌는 한국 풍속 놀이 33가지

1판 1쇄 | 2019년 9월 19일

글 | 박영수
그림 | 우지현

펴낸이 | 박현진
펴낸곳 | (주)풀과바람
주소 | 경기도 파주시 회동길 329(서패동, 파주출판도시)
전화 | 031) 955-9655~6
팩스 | 031) 955-9657
출판등록 | 2000년 4월 24일 제20-328호
홈페이지 | www.grassandwind.com
이메일 | grassandwind@hanmail.net

편집 | 이영란
디자인 | 박기준
마케팅 | 이승민

ⓒ 글 박영수, 그림 우지현, 2019

값 12,000원
ISBN 978-89-8389-812-8 73380

※ 잘못 만들어진 책은 구입처에서 바꾸어 드립니다.

이 도서의 국립중앙도서관 출판예정도서목록(CIP)은 서지정보유통지원시스템 홈페이지(seoji.nl.go.kr)와
국가자료공동목록시스템(www.nl.go.kr/kolisnet)에서 이용하실 수 있습니다. (CIP제어번호 : CIP2019031859)

KC	**제품명** 지금 해도 재밌는 한국 풍속 놀이 33가지 | **제조자명** (주)풀과바람 | **제조국명** 대한민국	⚠ **주의**
	전화번호 031)955-9655~6 | **주소** 경기도 파주시 회동길 329	어린이가 책 모서리에
	제조년월 2019년 9월 19일 | **사용 연령** 8세 이상	다치지 않게 주의하세요.
	KC마크는 이 제품이 공통안전기준에 적합하였음을 의미합니다.	

지금 해도
재밌는
한국 풍속 놀이
33가지

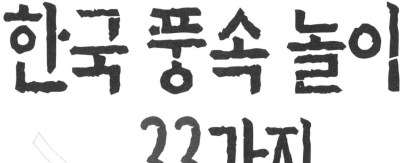

박영수 글 · 우지현 그림

풀과바람

머리글

놀이는 '여러 사람이 모여서 즐겁게 노는 일'을 이르는 말입니다. 일반적으로 재미와 즐거움을 얻기 위해서 놀이를 즐깁니다. '놀이'의 어원인 우리말 '놀다'의 뜻에는 원래 '연주하다', '재주를 부리다'는 의미도 있었습니다. '장단에 놀았다'거나 '윷을 놀았다' 따위의 표현은 그 흔적을 일러 주고 있습니다.

이처럼 '놀이'는 기본적으로 사람들이 어울려 즐거움을 추구하는 행위입니다. 단체로 어울려 놀다 보면 단결력과 협동의 필요성을 느끼게 되고, 경기에서 이기면 성취감을 만끽하게 됩니다. 경기에 참여하는 선수뿐만 아니라 구경하는 사람들조차 응원하는 팀과 일체감을 느끼곤 합니다. 이런 특성으로 인해 많은 놀이가 오랜 세월을 거치면서도 지금까지 이어져 오고 있습니다.

그런가 하면 놀이는 성취감을 주기도 합니다. 체력을 기르기 위한 운동에서부터 무술을 겸한 놀이와 기후를 활용한 연날리기 등등 다양한 놀이는 목적에 맞게 사람을 만족시켜 줍니다.

그러하기에 예부터 여러 종류의 놀이가 행해졌습니다. 우리나라에서 생긴 고유의 놀이도 있고, 다른 나라에서 들어와 우리 환경에 맞게 약간 변화한 놀이도 있습니다. 어떤 놀이이든 간에 나름의 의미와 유래가 있습니다.

전래 놀이를 시대에 뒤떨어졌다고 보는 시각은 잘못된 관점입니다. 요즘 해도 재밌는 놀이도 있고, 조금 개량하면 흥미진진한 놀이도 많으니까요. 그 의미를 알면 새롭게 보이는 놀이도 적지 않습니다.

이 책은 우리나라에서 행해져 온 놀이 중 33가지를 엄선해서 설명한 놀이 연구서입니다. 기본적으로 유래를 밝혔고 그와 관련된 풍속이나 가치도 아울러 조명했습니다. 또한 농악, 줄다리기, 씨름 등 유네스코 인류무형문화유산으로 등재된 놀이도 같이 다뤘습니다. 그러므로 독자 여러분은 우리나라의 놀이 문화에 대해서 역사 시간 여행을 할 것입니다. 아무쪼록 즐겁고 유익한 놀이 탐험이 되기를 바랍니다.

박영수

차례

제1부

체력 놀이
13가지

❶ 투호 - 궁에서 즐긴, 집중력과 허리에 좋은 운동

"공부하려면 체력이 있어야 하니, 투호(投壺)를 자주 하라."

퇴계 이황은 어렸을 때 지나치게 공부에만 집중하고 운동을 소홀히 해서 병을 얻었습니다. 잠시 쉬어 몸은 곧 나아졌지만, 이황은 일평생 약해진 몸으로 고생해야 했습니다. 그래서 이황은 성인이 된 뒤 건강에 신경 쓰면서 학문에 정진했고, 제자들에게 자주 위와 같이 말했습니다. 이황은 도산서당 시절에 책 읽던 제자들에게 종종 투호를 시키곤 했습니다.

"투호가 뭔가요?"

투호는 投(던질 투), 壺(병 호)라는 음훈에서 알 수 있듯 병에 뭔가를 던져 넣는 놀이입니다. 일반적으로 귀 달린 병이나 항아리에 화살처럼 생긴 막대기를 던져 많이 넣은 수효로 승부를 가립니다.

"어라, 잘 안 들어가네."

투호는 얼핏 쉬워 보입니다. 하지만 막상 해 보면 화살을 항아리에 넣기가 매우 어렵습니다. 열 개를 던지면 한두 개 들어가기도 합니다. 이렇듯 던져 넣는 것이 어렵기에 운동 겸 놀이로 했던 것입니다.

투호는 본래 당나라에서 만들어졌으나 곧바로 고구려와 백제에 전해졌고 귀족들이 적극적으로 즐겼습니다. 고려 시대와 조선 시대에도 궁중과 양반가에서 두 편으로 나눠 투호를 많이 했습니다. 궁중 여인들도

수시로 투호를 했습니다. 집중력을 길러 치매를 예방하고 허리 운동으로 복부 비만 해소에 도움이 되는 등 체력이 튼튼해지기 때문입니다. 진 편에 벌칙을 주어 여흥을 즐길 수도 있습니다.

"파랑 화살이 많으니 청팀이 이겼소. 홍팀은 벌을 받으시오."

따지고 보면 연못에 던지는 '행운의 동전' 원형도 투호라고 말할 수 있습니다. 화살이 아닌 동전만 다를 뿐 단지에 넣는 방법은 같으니까요.

오늘날 투호는 왕족이나 귀족이 아니라도 누구든 할 수 있습니다. 마당이든 거실이든 작은 단지를 놓아두고 동전이나 작은 물체를 던져 넣으면 집중력을 높이고 육체 운동 효과를 동시에 얻을 것입니다.

옳지, 체력을 길러 공부에 더욱 매진하라.

우선 나부터…

❷ 공차기 - 신라 시대에 유행한 축국과 현대 족구 발명

김유신, 날도 좋은데 축국 한판 하겠나?

좋지요!

"저리로 공을 차서 넣어!"

공을 차며, 앞으로 밀고 나가 상대 골문에 넣는 형태의 경기는 고대부터 있었습니다. 기원전 206년경 축구와 비슷한 경기가 중국에서 행해졌고, 500년경에는 머리카락으로 채워진 둥근 공이 사용됐습니다.

"공을 차서 망 위에 넣어!"

우리의 경우 조금 다르게 공을 찼습니다. 《삼국유사》, 《삼국사기》에 신라 화랑 김춘추와 김유신이 축국(蹴鞠)을 했다는 기록이 보입니다.

蹴(찰 축), 鞠(공 국)의 축국은 광장에 사람 키보다 높은 장대를 꽂고 그 위에 망을 얽은 다음, 여러 명이 어울려 꿩 깃이 꽂힌 공을 발로 차서 망 위에 얹어 넣는 놀이였습니다. 발로 공을 차고 노는 점에서는 기본적으로 축구와 같지만, 골대가 아닌 골망에 공을 넣는 것은 이색적이었습니다.

받아!

앗, 너무 높아!

"공을 땅에 떨어뜨리면 안 돼!"

축국은 공을 땅에 떨어뜨리지 않고 차는 게 규칙이었고, 떨어뜨리면 상대편에게 기회를 넘겼습니다. 발 기술이 많이 필요한 경기였던 것입니다. 그런 점에서 우리 선조들의 공차기 발 기술은 상당히 좋았다고 말할 수 있습니다.

"공을 발로 차서 망 위로 넘겨!"

공교롭게도 공차기를 좋아하는 한국인 습성은 현대의 족구(足球) 발명으로 이어졌습니다. '족구'는 4명이 한 팀을 이뤄 발을 사용해 공을 네트 위로 넘기는 놀이입니다. 중국에서는 축구를 족구(足球)라고 표기하지만, 우리는 11명이 뛰는 축구와 구분하여 별도로 족구라고 말합니다.

우리 편 잘한다!

족구는 우리나라에서 처음 만들어진 구기(공을 사용하는 운동 경기)입니다. 1966년 공군 제11전투비행단 101전투비행대대 소속 조종사들이 비상 대기 업무를 수행하면서, 조종복을 입은 채 배구장에서 네트를 낮춘 다음 발로 공을 넘기는 운동을 한 것이 그 시초입니다.

족구는 1968년 국방부 최우수 '창안'으로 선정되면서 전국 군대로 퍼졌으며, 1980년대 들어 대학가에 크게 유행했고, 요즘에도 여러 사람이 즐기고 있습니다.

❸ 구슬치기 - 옛날엔 귀족, 근대엔 아이들 모두 즐긴 놀이

"야호, 맞혔다!"

구슬을 굴리거나 던져서 다른 구슬을 맞추며 노는 구슬치기는 고대부터 행해졌습니다. 로마 시대 어린이들은 둥근 작은 조약돌이나 호두를 구슬로 사용하여 놀았습니다. 로마 황제 카이사르도 어린 시절에 호두 구슬이나 대리석 구슬을 가지고 놀았다는 기록이 있습니다.

"아유, 아깝다. 조금만 더 굴러가면 맞았을 텐데."

그러나 근대 이전까지의 구슬치기 놀이는 그리 대중적이지 않았습니다. 구슬 모양이 완전히 둥글지 않아서 제대로 굴러가지 않은 데다, 대리석으로 다듬은 구슬이 비쌌기 때문입니다. 따라서 근대까지도 귀족 아이들만 구슬치기를 즐겼습니다.

"라무네에 유리구슬을 넣어 드립니다."

19세기 말엽 구슬치기에 큰 변화가 일어났습니다. 유리로 만든 구슬이 등장했기 때문입니다. 일본은 1868년 개항 이후 근대식 장난감을 생산했는데, 1881년 한 회사가 유리구슬을 넣은 '라무네'를 팔았습니다.

라무네는 라임이나 레몬 향을 첨가한 달콤한 탄산음료 레모네이드를 잘못 발음한 말입니다. 뚜껑 만드는 기술이 부족해서 탄산 압력을 구슬로 누르기 위함이었지만, 구슬에 대한 반응이 매우 좋았습니다. 구슬 때문에 음료를 사는 사람도 많아지자 이내 유리구슬을 따로 팔게 됐고 이때부터 구슬치기는 아이들의 주요한 놀이가 됐습니다.

구슬치기 놀이는 일제 강점기 우리나라에 들어왔고 1930년대 경기도 개성 지역에서 유행했습니다. 당시에는 구슬치기를 '다마아소비'라고 불렀는데, '구슬로 놀기'란 뜻의 일본어 '비-다마아소비(ビ-玉遊ひ)'가 어원입니다. 광복 이후에는 한동안 '다마치기'라고 말했습니다.

"구슬 주세요."

이후 가게에서 구슬은 아이들 장난감으로 널리 팔렸고, 1970년대까지도 어린이 놀이로 널리 행해졌습니다. 땅이 아스팔트로 덮이면서 구슬치기를 보기 어렵게 되었지만, 구슬치기는 여전히 재밌는 놀이입니다. 즐겁게 노는 과정에서 거리 측정력과 집중력을 키울 수 있고 체력도 길러지는 놀이이니까요.

❹ 썰매 타기 - 신발 썰매와 널빤지 썰매의 유래

와, 겨울이다!

썰매
타러 가자.

세종 때인 1435년 함길도에 눈이 많이 내려 길이 막히고 식량 부족 사태가 일어났을 때 설마(雪馬) 타는 사람에게 곡식을 운반케 하여 백성과 가축을 구했다는 기록이 있습니다.

'설마'는 '눈[雪] 위에서 타는 말[馬]'이란 뜻으로 '썰매'의 어원입니다. 그런데 '설마'에는 두 가지 형태가 있습니다. 발에 신는 썰매와 널빤지 썰매가 그것입니다.

신발 썰매는 일종의 짧은 스키입니다. 나무 앞쪽은 살짝 위로 들려져 있고 중간에 구멍을 뚫고 끈을 달아서 발을 죄도록 만든 형태이거든요. 예전에 겨울이 되면 사냥꾼들은 발에 신는 썰매를 챙겼습니다.

"스윽 슥, 스윽 슥."

사냥꾼은 그 썰매를 신고, 산으로 들어갔습니다. 사냥꾼은 썰매 덕분에 쌓인 눈에 빠지지 않고 빨리 달릴 수 있었지만, 곰이나 호랑이는 깊은 눈에 빠지면 잘 움직이지 못했습니다. 그걸 노리고 썰매 지팡이를 겸한 긴 창으로 사냥감을 찔러 잡았습니다. 이렇듯 신발 썰매는 놀이보다는 사냥용 도구로 사용됐습니다.

널빤지 썰매는 널판 밑에 날을 박아서 잘 미끄러지도록 만든 탈것입니다. 큰 크기의 널빤지 썰매는 많은 짐을 나르는 데 쓰였고, 한 사람이 앉는 크기의 작은 널빤지 썰매는 재밌는 탈것으로 이용됐습니다. 퇴계 이황은 제자 황준량에 대해 "얼음이 언 강에서 썰매 타는 놀이를 좋아했다."라는 기록을 남기기도 했습니다.

"신나게 달려보자!"

조선 시대에는 겨울이 되면 논이나 들판의 얼음 위에서 나무에 쇠를 박은 꼬챙이로 얼음을 지치는 널빤지 썰매가 크게 유행했습니다. 누가 먼저 빨리 가는지 경기하기도 하고 갖가지 묘기를 부리며 회전하기도 했습니다.

썰매는 평지에서 하는 놀이인 까닭에 자신의 힘으로 움직이는 특성이 있습니다. 그래서 아이들은 썰매를 통해 속도감을 즐기면서 팔 힘을 기르고 더불어 강한 체력을 키웠습니다.

썰매 타기는 겨울에 기꺼이 야외로 나가서 즐겨도 될 만큼 여전히 재밌는 놀이입니다.

속도 좋고!

❺ 눈썰매 - 평지 개 썰매에서 언덕 내려오기로 바뀐 스포츠

눈썰매는 눈 덮인 언덕을 썰매 타고 내려오는 놀이를 가리키는 말입니다. 본래 우리말에는 없는 놀이이며, 20세기 말엽에 들어왔습니다.

눈썰매는 북아메리카 이누족이 개를 이용해 속도감을 즐겼던 터보건에서 유래됐습니다. 터보건은 깊은 눈 속에 빠지지 않게 바닥을 편평하게 만든 썰매입니다. 널빤지 썰매와 달리 바닥에 날이 없습니다. 이누족은 주로 평지에서 터보건으로 물건을 빨리 나르는 경기를 즐겼습니다.

으… 생각보다
너무 빨라!

23

"빠른 속도감을 즐겨 보세요!"

미국인들은 터보건에서 착안해 19세기 말엽 겨울 축제 때 언덕에 눈썰매장을 개설하여 사람들을 끌어모았습니다. 경사진 높은 곳에서 빠르게 내려오는 눈썰매가 인기를 끌자, 1920년대 들어 미국의 호텔들이 겨울에 눈썰매장을 앞다퉈 만들었습니다.

눈썰매는 가족 단위 휴가를 즐기는 미국인들에게 큰 호응을 얻었습니다. 겨울에 마땅한 휴가 장소를 찾지 못한 가족들은 너도나도 눈썰매장 있는 호텔을 찾았고, 어른과 아이 모두 눈썰매를 즐겼습니다.

우리나라에는 1990년대 중엽 등장하여 인기를 끌었는데, 빠른 속도감을 느낄 수 있기에 사람들이 좋아합니다.

야호!
한 번
더 타자!

❻ 딱지치기 - 계급 강조 찰흙 딱지와 뒤집는 종이 딱지

처음에 딱지치기는 어떤 인물이 그려진 딱지를 바닥에 놓고 서로 하나씩 딱지를 펼쳐 계급이 더 높은 사람이 상대 딱지를 차지하는 아이들 놀이로 등장했습니다.

"어디 네 것을 펼쳐 봐!"

최초의 딱지는 1879년 일본에서 생겼는데 납으로 얇은 두께에 네모난 형태로 만든 것이었습니다. 이어 19세기 말엽 도로멘코(泥面子)라는 이름의 찰흙 딱지가 나오면서 딱지놀이가 유행하기 시작했습니다. 도로멘코는 '얼굴 그린 거푸집에 찰흙을 넣어 구운 것'이란 뜻의 이름입니다.

이때부터 얼굴 그려진 딱지를 줄여서 '멘코'라고 했으며, 딱지에 표시된 신분으로 이기고 지는 놀이가 유행했습니다. 당시 군국주의가 득세한 상황에서 계급과 서열을 중시하는 군인 문화가 딱지놀이를 낳은 것입니다.

"난 별이 다섯 개야!"

상품화된 종이 멘코는 1898년부터 판매되기 시작했고, 별의 수로 계급의 높고 낮음을 표시했습니다. 종이 멘코는 20세기 초기 일본 전역에서 유행했으며, 우리나라에는 일제 강점기인 1920년대에 보급됐습니다. 딱지를 살 수 있는 형편이 안 되는 어린이들은 직접 종이로 딱지를 만들어 놀았습니다.

"와, 세게 치니 넘어가네!"

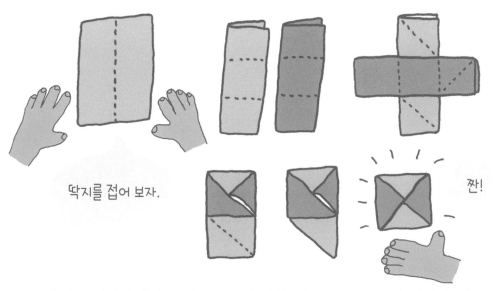

딱지를 접어 보자.

짠!

그런데 우리나라에서는 계급으로 승부를 겨루는 보여 주기 방식의 딱지놀이보다 상대 딱지를 쳐서 뒤집히면 딱지를 차지하는 방식이 더 인기를 끌었습니다. 딱지를 던지려면 어느 정도 무게가 필요하므로 이내 접어서 만드는 두꺼운 종이 딱지가 나왔습니다. 1926년 <동아일보>에는 다음과 같은 기사가 실리기도 했습니다.

"야야야야 나오너라. 건넛집 큰 마당에 아이들이 많이 모여 재밌게 딱지 친다."

딱지치기는 1970년대까지도 우리나라에서 전성기를 누렸습니다. 놀이 문화가 컴퓨터나 휴대 전화 위주인 요즘에는 보기 어려우나, 딱지치기는 막상 해 보면 생각보다 재밌는 놀이입니다. 가위바위보로 순서를 정하고, 이긴 사람이 먼저 상대 딱지를 힘껏 내리칩니다. 뒤집는 데 성공하면 계속하고, 실패하면 상대에게 기회를 줍니다.

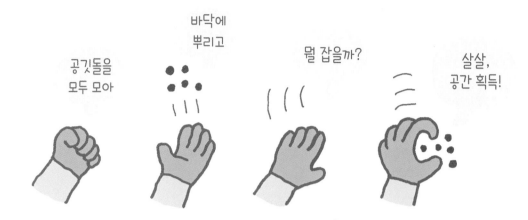

공깃돌을
모두 모아

바닥에
뿌리고

뭘 잡을까?

살살,
공간 획득!

❼ 공기놀이 - 왜 여자아이들만 할까?

공기놀이의 유래는 고대 그리스로 거슬러 올라갑니다. 그리스의 귀족 여인이나 여자아이들은 집 안에서 공기놀이를 즐겼는데, 공기는 둥근 조약돌이나 양의 복사뼈로 만든 것이었습니다. 그리스인들은 이 놀이를 '복사뼈'라는 뜻의 '아스트라갈스(astragals)'라고 불렀습니다.

"한 손으로 여러 개를 위로 던진 뒤 떨어지기 전에 잡아야 해."

공기놀이는 로마인에게 전해졌으며, 로마 시대 귀부인들은 공기놀이로 내기하면서 시간을 보냈습니다. 이때는 색깔 있는 유리와 도기 구슬로 만든 공깃돌 다섯 개로 놀았습니다. 공기놀이는 유럽 전역으로 퍼졌으며 영어로는 파이브스톤즈(fivestones) 또는 잭스(jacks)라고 말합니다.

"구슬로 뭘 하고 놀까?"

그리스 로마 시대에 남자들은 구슬치기를 하고 놀았다면, 여자들은 공기놀이를 즐겼습니다. 활동적인 놀이를 즐기는 남자들은 여기저기 이동

하며 놀았고, 여자들은 한곳에서 머물며 하는 놀이를 즐겼던 까닭입니다. 그래서인지 그리스 시인 아리스토파네스는 공기놀이에 대해 다음과 같이 말했습니다.

"여자아이들에게 가장 어울리는 놀이."

이는 여성의 활동이 제한된 사회 분위기도 반영되어 있습니다. 그러하기에 남자아이가 공기놀이하면 '여자 같다'라고 놀림을 받기도 했습니다. 요즘에는 남녀 구분 없이 하는 편입니다.

"저 그림은 공기놀이하는 장면이네!"

고구려 수산리 벽화 고분 서쪽 벽에 다섯 개 공기를 올려 던지면서 재주 부리는 모습이 있는 데서 알 수 있듯, 우리나라에서도 삼국 시대부터 조그만 돌을 이용해 공기놀이를 즐겼습니다. 조선 시대에도 공기놀이를 많이 했으며, 헌종 때 학자 이규경은 《오주연문장전산고》에서 이렇게 적었습니다.

"아이들이 둥근 돌알을 가지고 노는 놀이가 있는데 '공기(供碁)'라고 한다."

오늘날에도 공기놀이는 실내에서 가볍게 즐길 수 있는 재밌는 놀이입니다.

❽ 땅따먹기 - 노는 방법과 유래

"조심해서 팅겨야지."

땅따먹기는 미리 정한 구역의 땅을, 서로 많이 차지하려고 겨루는 놀이입니다. 노는 방법은 다음과 같습니다.

각자 한 뼘 정도의 땅에 금을 긋고 순번을 정한 뒤 거기에서 자기 말을 세 번 팅깁니다. 그렇게 해서 자기 집으로 돌아오면 그 선 안쪽이 자기 땅이 되며, 땅을 더 넓게 차지하는 사람이 이깁니다. 말이 지나간 자리에 금을 그어서 땅을 빼앗는 놀이이므로 흔히 '땅따먹기'라고 하며, 땅을 뺏는

것이기에 '땅뺏기', 거리를 재가며 둥근 돌을 팅기므로 '땅재기'라고도 말합니다.

"우리 땅따먹기 하자!"

예전에는 남자 여자 구분 없이 아이들이 마당에서 즐긴 놀이였습니다. 요즘은 마당 없는 집이 많은 까닭에 땅따먹기를 하기 어렵지만, 방법이 없는 건 아닙니다. 큰 종이를 거실 바닥에 깔아놓고 바둑돌을 이용해 실내에서 즐길 수 있습니다.

"땅이 많으면 부자가 되는 거네!"

우리나라에서는 자기 땅을 갖고 싶어 하는 사람들의 소망을 담은 놀이로 여겨지지만, 사실 땅따먹기는 일본의 군국주의에서 유래한 놀이입니다.

19세기 말엽부터 일본은 세계를 정복하려는 야욕을 드러내며 이웃 나라들에 검은손을 뻗쳤습니다. 1905년 러일 전쟁에서 승리해 랴오둥반도를 차지하며 대륙마저 삼키려 했습니다. 이러한 분위기에서 아이들은 전쟁놀이를 즐겼는데 그중 하나가 진도리(陣取る)입니다. 부대 배치한 '진지 뺏기'라는 뜻의 놀이입니다.

"납작한 잔돌을 팅겨서 상대 진에 넣어야 해."

그렇게 들어간 자리에서 엄지로 중심을 잡고 집게손가락까지 반원을 그려서 땅을 빼앗습니다. 일본의 경우 큰 테두리 안을 작은 삼각형으로 잘게 나누고, 인접한 삼각형 안에 납작한 구슬을 넣어서 자기 영토를 넓혀가며 놉니다.

침략을 재미 삼아 즐긴 놀이였고 '나라 뺏기'라는 의미의 구니토리(取り), '땅뺏기'라는 뜻의 지토리(地取り)라고도 말했습니다. 이 놀이가 일제 강점기에 우리나라에 전해졌고, 노는 방법과 상징이 약간 달라지며 땅따먹기로 변했습니다.

❾ 돌차기 - 사방치기라고도 불린 평형감각에 유익한 놀이

식은 죽 먹기!

사방치기, 망줍기, 깨금집기, 목자놀이, 밭전놀이, 팔방치기, 이시거리.

위에 나열한 단어들은 사실상 같은 놀이를 지역에 따라 다르게 부른 명칭입니다. 모두 노는 방법이나 도구를 가리킨 말이며, 기본적으로 땅에 도형을 그리고 납작한 돌을 앙감질로 차서 하는 놀이입니다.

"두 발로 뛰어서 도형 안에 발을 넣어!"

돌차기는 홉스코치(hopscotch)라는 서양 놀이가 19세기 말엽 일본에 전해져 유행한 뒤, 일제 강점기 우리나라에 보급됐습니다. 홉스코치는 아이들이 땅에 그려진 여러 개의 정사각형을 차례로 뛰어서 하늘에 도달하는 놀이입니다.

일본에서도 최고 위치를 하늘[天]이라고 말하며 놀았습니다. 일본에서는 이 놀이를 '돌차기'라는 뜻의 이시케리(石蹴り)라고 불렀습니다. 땅바닥에 여러 공간을 구분해 그려놓고, 그 안에서 작은 돌을 한 발로 차면서, 차례로 다음 공간으로 옮기며 놀았습니다.

"마지막에 망을 집어야 해."

이에 비해 우리나라에서는 목적지에 납작한 망(돌)을 하나 놓고 그걸 집어오는 놀이로 바꿔서 놀았습니다. 지역에 따라 조금씩 차이가 있긴 하지만 노는 방법은 대략 다음과 같습니다.

"도형을 그리고 앞에서부터 차례대로 숫자를 적어."

먼저 땅바닥에 여러 모양의 그림을 그립니다. 정해진 차례에 따라 앙감질로 돌을 차 가며 전진합니다. 돌을 차는 내내 외발로 서서 나아가야 합니다. 돌이 금을 벗어나면 실격입니다. 하늘에 도착하면 할 일이 있습니다. 돌을 한쪽 발등에 올려놓고 위로 차올려 한 손으로 받아 쥡니다. 이후 역순으로 돌아오거나 6번과 3번은 외발로 서고, 나머지 번호는 양발로 동시에 밟은 뒤 돌아옵니다.

"은근히 힘드네."

돌차기는 도구나 규칙이 단순하고, 노는 내내 평형감각을 익히는 데 유익한 놀이입니다.

❿ 제기차기 - 공 대신 건자를 차면서 발전한 놀이

"제기차기할래?"

제기차기는 제기를 발로 차면서 노는 놀이입니다. '제기'는 엽전을 헝겊으로 싸서 발로 차고 노는 장난감인데, 한지나 천을 접어서 엽전을 싼 다음, 양 끝을 구멍에 꿰고 그 끝을 여러 갈래로 찢어서 너풀거리게 했습니다.

"헐렁이로 하자!"

제기를 차며 노는 방법에는 세 가지가 있습니다. 제기 차는 발을 바닥에 딛지 않고 계속 차는 '헐렁이', 발을 한 번씩 딛고 차는 '맨제기', 양발을 바꿔가며 차는 '쌍발차기'가 그것입니다. 어떤 방법으로 하든 제기를 땅에 떨어뜨리지 않고 가장 많이 차는 사람이 이깁니다.

"겨우내 뎌기 차며(겨울 동안 공을 차며)"

조선 시대에 중국어 학습서로 사용되던 《박통사》에 위와 같은 문장이 있습니다. 여기에서 '뎌기'는 축국(蹴鞠)에 대한 우리말 표기인데, 이후 공 대신 건자(毽子, 제기의 원형)를 차게 되면서 '뎌기'가 '져기'를 거쳐 '제기'로 바뀌었습니다.

⑪ 팽이치기 - 채로 치는 전통 팽이와 줄로 감는 일본식 팽이

우린 윈뿔 모양

돌리고 돌리고~

 '팽이'는 둥근 나무토막 끝을 뾰족하게 깎아 만들어 채로 치거나 끈을 몸체에 감았다가 풀면서 돌리는 장난감입니다. 팽이치기는 지방에 따라 '패이', '팽돌이', '뺑돌이', '봉애' 등 여러 가지 이름으로 불립니다.

 '팽이'의 옛말은 '핑이'이며, '핑'은 회전을 뜻하는 '빙'을 강하게 발음한 말입니다. 빙글빙글, 핑그르르 따위 말에서 그것을 확인할 수 있습니다.

 우리나라에서 팽이치기가 언제 시작됐는지 정확히 알 수는 없습니다. 그러나 서기 720년에 쓰인 《일본서기》에 '신라 성덕왕 시기에 팽이가 일본으로 전해졌다'라는 기록이 있는 것으로 미루어 삼국 시대에 널리 유행했을 것으로 추측됩니다.

"빙빙 돌다가 똑바로 서네."

팽이를 쳐 주면 팽이는 비스듬하게 기운 채 원을 그리며 돌다가 똑바로 서게 됩니다. 팽이의 물리적 특성은 자이로스코프(회전의) 특성과 비슷합니다. 빠른 속도로 회전하는 팽이의 축은 지구의 자전하는 힘으로 항상 남북을 가리키게 됩니다.

"무조건 세게 치면 안 돼!"

팽이치기는 여러 명이 모여서 누구 팽이가 더 오래 도는지 겨루는 것이 보통입니다. 때로는 일정한 장소까지 팽이를 빨리 몰고 가는 것으로 승부를 결정짓기도 합니다. 이때 강한 힘보다는 팽이의 중간 부분을 쳐 주는 요령이 더욱 중요합니다. 박달나무, 대추나무, 소나무 등 무겁고 단단한 나무로 팽이를 만든 이유도 여기에 있습니다. 오동나무처럼 가벼운 나무는 금방 쓰러집니다.

한겨울에 추위를 무릅쓰고 하는 팽이치기는 아이들에게 체력과 인내력을 키워 주는 겨울철 놀이였습니다. 지금은 계절에 상관없이 즐길 수 있습니다. 2000년대 크게 유행한 탑블레이드는 한국과 일본 완구 회사가 공동 개발한 현대판 팽이입니다.

한편 20세기 초 일본에서 등장한 줄팽이는 1930년대에 우리나라에 역수입됐습니다. 이후 채로 쳐서 돌리는 전통 팽이보다 줄로 감아 던지는 일본식 줄팽이가 더 크게 유행했습니다.

⑫ 장치기와 자치기 - 공을 넣거나 막대를 멀리 쳐 보내는 운동

'봄내 듣거든 댱티기 ᄒ며'

봄이 되면 장치기를 한다는 내용이며, 조선 시대 중국어 학습서 《박통사》에 실린 글입니다. 여기서 장치기는 긴 막대기로 공을 쳐서 상대편 문 안에 넣는 놀이입니다. 《고려사》에도 장치기에 대한 기록이 있을 정도로 오래전부터 우리 민족이 즐긴 운동이었습니다.

"막대기로 치는 놀이라는 뜻이네."

장치기는 지팡이 장(杖)과 '친다'의 명사 '치기'를 합친 말이며, 오늘날의 하키와 비슷합니다. 고려 시대에 말 타고 하던 격구가 걸으며 하는 방식으로 바뀌면서 귀족은 물론 백성까지 모두 즐기는 국민적 놀이가 됐습니다.

자, 간다!

"구부러진 막대기로 나무 공을 쳐서 상대 골문에 넣어야 해."

겨울 농한기에 사람들이 두 편으로 나뉘어 장대로 솔방울을 공 삼아 치는 장치기를 많이 했습니다. 얼레공치기라고도 말했는데 '얼레공'은 양편 주장이 경기장 가운데에 파 놓은 구멍에서 공을 서로 빼앗기 위하여 어르는 일을 가리키는 말입니다.

"우리는 자치기하자!"

어른들은 장치기를 즐겼지만, 아이들은 자치기를 많이 했습니다. 자치기는 긴 막대기로 짤막한 나무토막을 쳐서 날아간 거리의 멀고 가까움으로 승부를 겨루는 놀이입니다. 나무막대기를 가지고 놀되 그 거리를 막대기로 자처럼 재는 까닭에 '자치기'라고 불렀습니다.

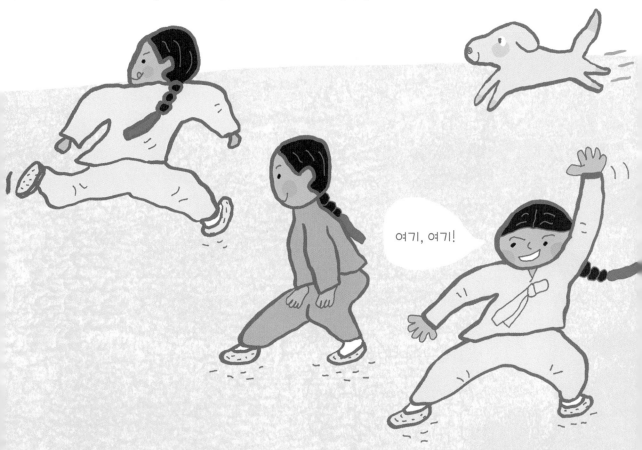

여기, 여기!

"막대기로 스물두 번 잴 만큼 멀리 날아갔어."

자치기는 장치기보다 놀이 도구가 단순하고 규칙도 간단하므로, 아이들은 주변에서 막대를 구해 부담 없이 놀았습니다. 투수 없는 야구라고 생각하면 됩니다. 땅구멍에 알(짧은 막대)을 세운 뒤 밖에 나온 부분을

내가 잡을게!

여기!
여기!

긴 채로 내리쳐서 알이 공중에 뜨면 재빨리 멀리 쳐 보냅니다. 수비하는
사람이 알을 잡지 못하면 구멍에서부터 긴 채로 거리를 재어 점수로 계산
합니다.

공에 해당하는 '알'은 '메뚜기'라고도 불렀으며, 지역에
따라 '메뚜기치기', '오둑테기', '막대', '마때'라고도
했습니다.

⑬ 그네뛰기 - 경기에서 어떻게 승자를 정했을까

"와, 경치 좋다!"

그네뛰기는 예로부터 우리 민족 여성들이 즐겨온 민속놀이이며, 민족 체육의 하나입니다. 옛사람들은 흔히 백사장을 낀 둑이나 전망 좋은 산에 서 있는 큰 나무의 굵은 가지에 그네를 맸습니다. 경치를 감상하며 자연의 아름다움을 마음껏 즐기도록 배려했던 것입니다.

"그넷줄을 두 손에 갈라 쥐고, 선뜻 올라 발 굴러서, 한번 굴러 뒤가

오~ 오~

솟고."

《춘향전》에서 춘향이 그네 뛰는 모습을 묘사한 글입니다. 그만큼 그네뛰기는 조선 여인들이 즐긴 대표적 놀이였습니다. 일 년 내내는 아니고, 초파일(음력 4월 8일) 무렵에 시작해서 단오(음력 5월 5일)까지 약 한 달 동안 계속됐습니다.

"대회가 열린다니 어서 가 보자."

특히 단옷날에는 그네뛰기 경연대회를 열었으며, 이날에는 바깥 구경이 자유롭지 못한 젊은 여인네들이 새 옷을 입고 그네 터로 몰려갔습니다.

그네뛰기 경기를 할 때는 널찍한 놀이판에 특별히 그네 틀을 세우고 그넷줄을 맸습니다. 이렇게 인공적으로 세운 그네를 '땅그네'라고 합니다. 그넷줄은 보통 볏짚 또는 삼을 엮어서 만들었습니다.

"과연 누가 저걸 물까?"

승부를 가르는 방법은 여러 가지가 있지만 특정한 위치에 있는 물건을 입으로 무는 것이 가장 많이 행해졌습니다. 또한 높이 매단 방울종을 울리는 방법도 많이 쓰였습니다.

그렇지만 그네뛰기는 우승자를 뽑는 것보다는 같이 보고 즐기는 데 더 큰 목적이 있었으므로, 승자와 패자의 의미가 그리 크지 않았습니다.

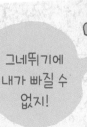

그네뛰기에 내가 빠질 수 없지!

그네뛰기는 본래 한반도 북쪽에 살던 사람들이 봄에 즐긴 놀이였습니다. 우리나라에는 고려 시대에 전래된 것으로 여겨집니다. 최충헌이 집권하던 시절 "기생과 재인(才人)에게 그네뛰기를 하게 했으며, 우왕(禑王)은 수창궁에서 그네뛰기를 했다."는 기록이 《고려사》에 적혀 있습니다.

그네뛰기는 고려 시대에는 남성인 국왕도 즐긴 놀이였는데, 조선 시대 들어 점차 여성들의 놀이가 됐습니다. 치마 입은 여성들의 그네 뛰는 모습이 아름답기에 풍속화에 많이 등장합니다.

두뇌 놀이
8가지

❶ 수수께끼 - 상상력과 연상력을 자극하는 두뇌 계발 놀이

1. 들어가서 주인을 내쫓는 손님은?

2. 닦으면 닦을수록 더러워지는 것은?

3. 발버둥 치는 사람만 모이는 곳은?

위 수수께끼를 풀어 보세요. 쉽고 어려운 난이도에 차이는 있지만, 공통점이 있을 겁니다. 그것은 바로 연상력과 창의력이 필요하다는 점입니다. 평범한 사고방식으로는 풀기 어려운 게 바로 우리 수수께끼입니다.

　1번은 옛날부터 전해져온 전래 수수께끼이며 정답은 '열쇠'입니다. 2번은 근대에 생긴 수수께끼이고 정답은 '걸레'입니다. 3번은 현대에 등장한 수수께끼이며 정답은 '수영장'입니다.

　이제 왜 창의력과 연상력이 필요한지 이해됐을 겁니다. 1번은 사물의 특성을 의인화한 문제이고, 2번은 깨끗해지는 대상보다 도구에 주목한 문제이고, 3번은 잘 보이지 않는 내면 현상을 말장난으로 출제한 퀴즈입니다.

　이렇듯 수수께끼는 사고방식을 유연하게 만드는 장점이 있기에 예부터 우리 선조들은 수수께끼 놀이를 즐겼습니다. 어른이 수수께끼를 내면 아이는 그걸 푸느라 머리를 쓰면서 자연스럽게 사고력을 길렀습니다.

우리나라에서 가장 오래된 수수께끼는 《삼국유사》에 실려 있습니다.

"열면 두 사람이 죽고, 열지 않으면 한 사람이 죽는다."

신라 소지왕은 위와 같은 글이 적힌 밀봉된 편지를 받고, 그 의미를 생각한 뒤 열어 보고 못된 짓 하는 두 사람을 죽였다고 합니다.

이후에도 수수께끼는 다양한 내용으로 만들어지며 후대에 전해졌고 지적 호기심을 자극하는 두뇌 놀이로 큰 인기를 끌어왔습니다. 말장난에 가까운 이른바 '아재 개그'도 따지고 보면 수수께끼의 일종입니다.

한편 한자어로 미어(謎語)라고 하는 '수수께끼'의 어원은 18세기에 등장한 우리말 '슈지겻기'입니다. '슈지'는 謎(수수께끼 미)를 나타내는 접두어이고, '겻기'는 '겨루기'를 뜻하는 말입니다. 1677년 《박통사언해》에 표기된 '슈지엣말'에 바탕을 둔 '슈지겻기'는 '수수꺼끼'를 거쳐 '수수께끼'로 바뀌었습니다.

이 수수께끼를 다 맞히면
넌 천재야.

들어가서 주인을
내쫓는 손님?

그런 손님이
어디 있어!

❷ 가위바위보 - 손가락 겨루기 유래와 디비디비딥 원형

가위바위보는 원래 어른들의 놀이였습니다. 엄지, 검지, 새끼손가락을 지어 승부를 겨루는 중국의 충권(蟲拳)이 그것입니다. 이 놀이에서 엄지는 새끼손가락을 이기고, 새끼손가락은 검지를 이기며, 검지는 엄지를 이깁니다. 왜냐하면 엄지는 개구리를 상징하고, 새끼손가락은 달팽이를 상징하며, 검지는 뱀을 상징하기 때문입니다.

"벌레들이

무술을 하는 것 같군."

엄지, 검지, 새끼손가락을 번갈아 세우며 노는 모습이 벌레들이 손가락

무술을 하는 것처럼 보이기에 蟲(벌레 충) 자를 붙여 '충권'이라고 불렀습

니다. 충권은 주로 술자리에서 분위기를 돋우기 위해 즐겼으며, 작은 내

기를 걸거나 벌칙을 줬을 뿐 지고 이기는 일에 크게 개의치 않았습니다.

"여우는 촌장을 잡아먹고, 포수는 여우를 잡고, 촌장은 포수를 이기지."

충권은 에도 시대 일본에 전해져 약간 다른 형태로 진행됐습니다. 개구리, 달팽이, 뱀을 각각 여우, 촌장, 포수로 바꿔 '키츠네켄[狐拳(호권)]'이라며 즐겼습니다. 몸짓도 달리 표현했으니 여우는 양손을 머리 옆에서 손가락을 꺾어 여우 귀 모양을 나타냈습니다. 촌장은 양손을 무릎 위에 얹어서 얌전한 모습으로 품격 있는 인물을 나타냈고, 포수는 마치 총 쏘듯 한 손을 뻗고 다른 손으로 방아쇠 당기는 자세를 취했습니다.

"디비디비딥!"

우리나라에서 한때 유행했던 '디비디비딥'도 따지고 보면 여우권법의 변형이라고 할 수 있습니다.

한편 충권과 비슷한 양권마(兩拳碼)는 가고시마 지방에 전해져 그곳 식으로 발음이 '장껭뽕'으로 굳어지고 놀이 양식도 조금 변했습니다. 그리고 이 장껭뽕이 일제 강점기 우리나라에 전해져 가위바위보가 됐으며, 형태도 바뀌고 아이들 놀이가 되었습니다.

"안 내면 진다. 가위바위보!"

'가위바위보'는 상극과 견제의 논리를 상징적으로 가르쳐 주는 놀이입니다. 가위는 보를 자르고, 보는 바위를 싸안으며, 바위는 가위를 부수어 이깁니다. 이 세상에는 절대 강자가 없다는 사실을 일깨워 주는 셈입니다.

이 놀이 도구의 명칭을 가위바위보로 정한 이유는 그것들이 우리 정서에 가장 친숙한 사물이었던 데 있습니다.

'셋셋세'는 두 사람이 마주 보고 리듬에 맞춰 손뼉을 치는 놀이입니다. 원래는 일본에서 어른들이 했던 '오테아와세'라는 다양한 손동작 놀이인데, 17세기 이전부터 행해졌습니다. 현재와 같은 손뼉치기 놀이는 19세기 이후 발달해 노래 가사와 함께 널리 퍼졌습니다.

"셋셋세. 감자에 싹이 나서 잎이 나서 묵찌빠!"

우리나라에는 위 노래와 함께 일제 강점기에 들어와 전국적으로 퍼졌습니다. 우리 놀이는 대체로 여유를 즐기는 편인데, 빠른 박자의 셋셋세

는 속도를 중시하는 급한 마음을 강조합니다. 이는 빠른 사회 개혁을 추구했던 19세기 일본의 변화와 관련 있으리라 짐작됩니다.

"셋셋세. 아침 바람 찬 바람에 울고 가는 저 기러기."

셋셋세는 노래가 다양하고 간단한 몸짓 손짓을 곁들인 까닭에 긴장한 채 머리를 써야 합니다. '셋셋세'라는 말은 '손을 마주 대다'라는 뜻의 일본말 '셋스루'가 어원이며, 놀이를 시작하는 사람들이 시작 구호와 함께 서로 박자를 맞추기 위해 사용합니다. 끝마칠 때 가위바위보를 하거나 특정한 동작으로 마무리합니다.

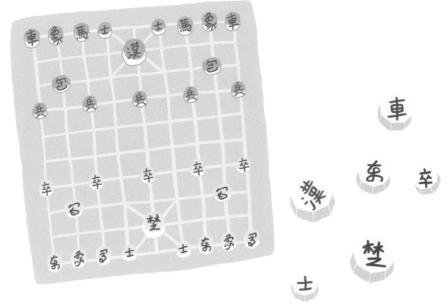

"장 받아라. 장이야!"

장기(將棋)는 본래 고대 인도에서 승려들이 수행 중에 잠깐 쉴 때 행하던 놀이였습니다. 象(코끼리 상) 자가 적힌 말이 그 흔적입니다. 이 놀이는 고려 시대 초기 중국을 통해 우리나라에 들어왔습니다. 장기는 그때부터 조선 시대에 이르도록 오랜 세월 양반계급이나 고위관리들만 오락으로 즐겼습니다. 지적 능력을 겨루는 놀이로 그만인 데다, 귀족층만 그걸 즐길 시간이 있었기 때문입니다.

"장기는 알면 매우 재밌는 놀이입니다."

20세기 중엽인 8·15 광복 이후에 뜻있는 사람들이 장기 보급 운동에 나섰고 이때부터 일반인들의 대중오락이 되었습니다.

이 놀이는 파란색과 붉은색으로 구분된 각각 16개의 말(장기쪽)을 말판에 놓고 시작합니다. 말에 적힌 글씨에 따라 각각의 기능이 다릅니다. 예컨대 차(車)는 한 줄씩 직진할 수 있고, 포(包)는 말을 넘어갈 수 있습니다. 졸(卒)이나 병(兵)은 앞과 옆으로만 한 칸씩 이동할 수 있습니다. 이런 말들을 다뤄서 상대 진영을 공격합니다. 그러다 "장이야!" 외친 뒤 상대방의 장(將)을 따냄으로써 승패를 가리기에 그 명칭을 '장기(將棋)'라고 했습니다.

"장군끼리 대결하는 놀이이군요."

'장'은 장군인 동시에 임금을 뜻합니다. 가장 큰 장기알이 왕(王)이며, 이 왕을 먼저 잡는 사람이 이기는 놀이입니다. 왕은 궁궐에 살기에 '장'을 '궁'이라고도 말합니다. 붉은색 장에는 한(漢), 파란색 장에는 초(楚)라는 글씨가 적혀 있습니다.

각각 고대 중국에서 초(楚)나라 왕 항우(項羽)와 한(漢)나라 왕 유방(劉邦)을 의미합니다. 중국이 인도의 놀이를 받아들이면서 자기네 영웅들로 말의 명칭을 바꾼 것입니다. 실력이 더 뛰어난 상급자 또는 연장자가 붉은색 '한(漢)'을 갖는 것은 유방이 항우에게 승리를 거둔 데서 비롯됐습니다.

같은 맥락에서 윗사람 또는 나이 많은 사람이 무조건 붉은색을 차지하는 것이 예절입니다. 또한 '약자선수(弱者先手)'라 하여 실력 약한 사람이 먼저 두는 일도 관습입니다.

⑤ 바둑 - 수담(手談)이라고 말하는 까닭

나, 요 제왕이
바둑을
전하겠소.

바둑은 가로세로 19개의 선이 교차하는 점에 돌을 두어 집을 짓는 놀이입니다. 바둑은 별칭으로 '수담(手談)'이라고도 합니다. 바둑을 두는 동안 손[手]으로 대화[談]를 나누는 듯 서로의 마음이 통한다는 의미입니다.

"저기에 돌을 놓았다는 건 곧 포위하겠다는 뜻이군."

바둑은 흔히 전략 스포츠라고 합니다. 전체와 부분적인 움직임을 동시에 계산하면서 상대에게 대응해야 하기에 그렇습니다. 다른 놀이보다 기술 습득이 어렵지만, 나름의 깨우침을 얻을 때마다 실력이 급격히 늘기도 합니다.

"땅에 집을 지으려면 지혜가 필요하지."

바둑은 중국에서 시작됐습니다. 전설에 따르면 중국 신화의 제왕 요(堯)가 창작했다고 하며, 춘추 전국 시대부터 폭넓게 퍼져 7세기경까지 크게 유행했습니다. 한나라 유방, 위나라 조조, 당나라 태종, 명나라 태조 등은 모두 바둑을 매우 좋아했습니다. 조조는 9품제(九品制)를 만들어 기사 실력을 품계로 정하기도 했습니다.

우리나라에는 삼국 시대에 전해졌으며, 주로 왕족들이 즐겼습니다. 전략을 연구하기에 더없이 좋고 인격 수양에 유익했기 때문입니다. 백제 개로왕과 신라 효성왕은 바둑 애호가로 유명합니다.

그런데 내용에 있어 우리나라 바둑은 중국과 달랐습니다.

"기본이 되는 아홉 개 점부터 놓도록 하세."

우리는 각 화점(花點)에 먼저 돌을 놓고 이후 아무 데나 두는 순장바둑이 주류를 이루었습니다. 그러나 일제 강점기에 어떤 곳에서부터 시작하든 관계없는 일본식 바둑으로 바뀌었고, 현재 그 방법대로 두어지고 있습니다.

한편 바둑은 규칙이 복잡하고 변수가 무척 많기에 가장 어려운 두뇌 스포츠로 여겨집니다. 2016년 컴퓨터 프로그램 알파고와 이세돌 기사가 대결하여 세계적 화제를 낳은 이유도 바로 여기에 있습니다. 컴퓨터 수천 대를 연결한 알파고는 인간 최고수 바둑 기사를 간신히 이겨서 여러 가지 화제를 낳았습니다.

⑥ 오목 - 다섯 개 알을 연결시키는 논리적 놀이

오목(五目)은 바둑판에 흑백의 돌을 번갈아 놓아, 가로세로 또는 모로 다섯 개를 먼저 줄지어 놓으면 이기는 놀이입니다. 규칙은 단순하나 몇 가지 제약을 두면 의외로 전략과 계산이 필요한 두뇌 스포츠입니다.

"삼삼(三三)으로 놓으면 안 돼!"

한국 오목에서는 흑백 모두 삼삼과 사사가 금지입니다. 그래도 먼저 두는 흑이 매우 유리합니다. 그걸 고려해 일본에서는 '흑만 삼삼과 사사 금지'로 규칙을 정했습니다. 그러면 비교적 경기가 팽팽하게 진행됩니다.

"바다에서 진주를 캐내기만큼 어렵네요."

한국은 흑과 백 모두 삼삼, 사사 금지해요.

일본은 흑만 금지!

일본에서는 오목을 진주에 비유하여 연주(連珠)라고도 말합니다. 오목은 바둑과 더불어 중국에서 탄생한 놀이이지만, 대중화한 것은 일본입니다. 일본은 20세기 초 오목 이론을 정리하여 책으로 출판했고 오목 협회를 만들어 체계화에 앞장섰습니다. 현재 일본에는 오목 프로기사가 있을 정도로 오목이 인기 많습니다.

오목은 규칙이 간단하고, 짧은 시간에 즐기기 좋은 놀이입니다. 가벼운 두뇌 운동을 원하는 분께 오목을 권합니다.

❼ 고누두기 - 돌멩이를 옮기며 노는 바둑과 오목 겸한 놀이

고누는 두 사람이 말판에 말을 벌여놓고, 서로 많이 따먹거나 상대의 집을 차지하는 놀이입니다. 별다른 놀이가 없던 시절, 두뇌 대결과 여흥을 겸해서 많이 행해졌습니다.

"말판 모양이 우물을 닮았네."

임'의로 땅에 말판을 그리고 놀았기에 고누에는 종류가 많습니다. 말판 모양에 따라 우물고누, 나비고누, 말굽고누, 밭고누, 호박고누,

70

줄고누, 사다리고누, 십자고누, 참고누 등으로 불렸습니다. 예전에는 땅에 그중 하나를 그려놓고 돌멩이를 말로 삼아 실력을 겨뤘는데, 규칙은 말판이나 지역에 따라 조금씩 달랐습니다.

고누의 종류가 이렇게나 많아요.

말굽고누

밭고누

호박고누

사방고누

햇빛고누

나비고누

이사고누

업기고누

팔팔고누

문살고누

지역마다 규칙과 말판은 다를 수 있지.

참고누

지네고누

"말을 거기에 놓으면 안 돼!"

돌멩이를 이리저리 옮기며 노는 '고누'의 어원은 '고노'입니다. 1802년 간행된 《물보(物譜)》에 '우물고노'라는 기록이 보입니다. '고노'는 '잘잘못을 따져 평가하다'라는 뜻의 '꼬느다'에서 나온 말이며 '꼬누'를 거쳐 '고누'가 됐습니다. 고누는 '고누두기'의 줄임말이기도 합니다.

"우물고누 첫수."

조선 시대 후기에 고누가 크게 유행했음을 알려 주는 속담입니다. 그 의미는 두 가지입니다. '상대를 꼼짝 못 하게 하는 좋은 방법'이란 뜻과 아울러 '한 가지 방법 말고는 달리 변통할 재주가 없음'을 의미합니다.

우물고누는 '+' 자의 세 귀를 원이나 직선으로 막고 한쪽 귀를 터놓은 말밭에 각각 두 개의 말을 놓아 먼저 가두면 이깁니다. 이때 먼저 두는 사람이 첫수에 가두지는 못하는 데서 위와 같은 속담이 생겼습니다.

"말이 나란히 셋이 되면 상대 말 하나를 따낼 수 있어."

고누의 규칙을 모두 설명하기는 힘들지만 몇 가지는 공통으로 같습니다. 돌을 번갈아 놓으면서 상대편 집으로 먼저 들어가거나, 말을 연이어 놓은 뒤 상대편 말을 먼저 따내는 것으로 승부를 결정합니다.

여러 고누 중에서 참고누는 상대적으로 방법이 복잡하고 갖가지 묘수가 나오므로 오늘날에도 두뇌 계발 겸용 놀이로 즐길만합니다.

일곱 개의
조각으로

다양한 걸
만들 수 있어.

"이야, 신기하네요!"

칠교놀이는 크고 작은 삼각형 5개, 정사각형 1개, 평행 사변형 1개 총 7개 조각으로 여러 가지 형태를 만들면서 즐기는 놀이입니다. 각종 동물에서부터 식물, 건물, 글자 등등 온갖 모양을 교묘히 만들 수 있기에 칠교 (七巧) 또는 칠교희(七巧戲)라고 말합니다.

"희한하게 재밌는 놀이이군요."

칠교는 중국에서 만들어져 서양과 우리나라에 전해졌습니다. 영어로는 탕그람(tangram)이라고 하는데 당(唐)나라를 이르는 'tang(탕)'에 '그림'이란 뜻의 접미사 -gram이 더해진 합성어입니다. 프랑스의 나폴레옹은 탕그람을 재밌어하면서 즐겨 했다고 합니다.

"잠시 이걸 하고 계시지요."

조선 시대에는 손님이 집에 찾아왔을 때 음식 준비하는 동안, 기다리는 시간에 심심풀이로 권하곤 했습니다. 하여 손님을 머물게 하는 놀이판이란 의미로 '유객판(留客板)'이라고도 불렸습니다. 칠교는 두뇌 계발에 좋기에 아이들 교육용으로도 많이 쓰였고, 치매 예방에도 유익하므로 노인들도 즐겼습니다.

"배 한 척을 만들어 볼까나."

칠교판의 7개 조각을 이리저리 잘 배치하면 갖가지 모양을 만들 수 있습니다. 놀이하는 방법은 두 가지입니다. 수백 가지 모양이 실린 책의 그림자 그림을 보고 따라 하거나 혼자만의 상상으로 만들면 됩니다.

"새 한 마리를 만들어 보세요."

여럿이 즐길 때는 시간을 정해서 실력을 겨룹니다. 검은 그림자 형태로 되어 있는 특정한 모양을 정한 뒤 한 사람이 먼저 일정한 시간 안에 만들어 봅니다. 시간이 돼도 완성하지 못하면 차례를 바꿔 진행합니다. 어떤

모양을 만들건 7개 조각을 모두 사용해야 합니다.

 칠교는 쉬운 모양도 있지만 보기보다 어려운 모양도 많기에 두뇌 건강

을 위한 놀이로 좋습니다.

제3부

상징 놀이
7가지

❶ 윷놀이 - 하늘 별자리와 다섯 동물을 상징하는 놀이

"야호! 윷이다."

윷놀이는 네 개의 나뭇조각으로 승부를 겨루는 우리나라 고유의 놀이입니다. 두 패로 나뉜 사람들이 번갈아 윷을 던져서 그 떨어진 상태에 따라 말판에 말을 놓아 먼저 나가는 편이 이깁니다. 윷가락 호칭은 일반적으로 하나를 도, 둘을 개, 셋을 걸, 넷을 윷, 다섯을 모라 부릅니다. 이는 말판에서 앞으로 나가는 끗수를 나타내는 말입니다.

"다섯 칸 가는 모가 가장 좋은데 왜 윷놀이라고 하나요?"

그걸 알려면 윷놀이의 유래를 살펴봐야 합니다. 윷놀이 유래에 대해서는 몇 가지 설이 있습니다.

첫째, 삼국 시대 이전 부족국가 부여(夫餘)의 관직에서 유래됐다는 설입니다. 관직 이름인 마가, 우가, 저가, 구가, 견사 등이 윷판에서 도, 개,

걸, 윷, 모로 명명됐다고 전합니다.

둘째, 다섯 가지 가축을 다섯 부락에 나눠 주고 그 가축을 빨리 키울 목적에서 비롯된 놀이라는 설입니다. 그에 연유하여 '도'는 돼지, '개'는 개, '걸'은 양, '윷'은 소, '모'는 말에 비유한다고 전합니다.

셋째, 한 해 농사를 점치는 고대 농경사회의 전통 풍습이라는 설입니다. 육당 최남선에 따르면, 신라 시대에 새해 초 농촌에서 편을 갈라 한편은 '높은 지대'가 되고 한편은 '낮은 지대'가 되어 윷놀이로 점을 쳤습니다. 그리고 그 이기고 짐으로써 그해 농사가 높은 땅에 잘 될지 낮은 땅에 잘 될지를 판단했습니다.

오늘날 세 번째 설이 가장 유력하게 받아들여지고 있습니다. 윷놀이는 아무 때나 하지 않고 정월 초하루부터 보름까지만 행한 것도 민속점 의미를 엿보게 해 줍니다.

한편 예부터 농촌에서는 소를 가장 중요한 동물로 여겼기에, 소를 상징하는 윷을 점치는 방법을 겸한 놀이의 이름으로 삼았습니다.

그런가 하면 옛날에는 하늘을 상징하여 윷판을 둥글게 만들었습니다. 윷판 한가운데는 북극성이며 나머지 28개 자리는 동양의 주된 별자리인 28수(二十八宿)입니다. 후대에 윷판이 네모로 변했지만 그 의미는 그대로입니다.

❷ 술래잡기 - 도둑 잡는 일에서 유래한 숨바꼭질

"꼭꼭 숨어라. 머리카락 보인다."

'숨바꼭질'을 시작할 때 위와 같이 말합니다. 노는 아이들이 몸을 감출 시간을 주기 위함이지요. 노는 방법에 숨바꼭질 또는 술래잡기라고 달리 말하지만, 실제 내용은 같습니다. 여러 아이 가운데서 한 아이가 술래가 되어 숨은 아이들을 찾아내는 게 기본적인 규칙입니다. 남녀 구별 없이 재빠르게 행동하는 특성을 활용하여 즐겁게 놀 수 있습니다.

"모두 어디 숨었지?"

숨은 아이들을 찾아내는 아이를 '술래'라고 합니다. 술래가 정해진 시간 동안 아무도 발견하지 못하면 계속 술래 노릇을 해야 합니다. 술래에게 들킨 아이는 다음 술래가 됩니다.

"잡았다!"

이처럼 술래를 바꿔가며 노는 놀이를 '숨바꼭질'이라 말하는 이유는 뭘까요? '숨바꼭질'의 어원은 '순바꿈질'입니다. '순(巡)을 바꾸어 나가는 놀이'라는 뜻입니다. 이때 '술래'는 오늘날의 경찰에 해당하는 '순라(巡邏)'가 변한 말입니다.

다시 말해 순라잡기→술라잡기→술래잡기로 된 것이며, 순바꿈하는 질→숨바꿈질→숨바꼭질이 됐습니다. 순라가 도둑을 잡으려고 돌아다니는 풍경을 흉내 낸 놀이가 어원에 그대로 남아 있는 셈입니다.

숨바꼭질은 오래전부터 있었으며, 이런 놀이는 세계 여러 나라에서 행해졌습니다. 중국에서는 미장(迷藏)이라고 하는 숨바꼭질 놀이가 일찍부터 있었고, 일본은 '가쿠레아소비(れ遊び)'라는 놀이가 17세기에 유행했습니다. 또한 일본에서는 '오니곡코(鬼ごっこ)' 또는 '오니아소비'라는 귀신 잡는 놀이도 있었는데 노는 방법은 똑같습니다.

그런가 하면 영국에는 숨고 찾기(hide and seek)라는 놀이가 있는데, 술래 개념이 우리와 반대입니다. 많은 사람이 한 사람 또는 서너 명의 술래를 쫓아갑니다. 이는 많은 사람이 악귀를 물리친 의식에서 나온 놀이입니다.

한편 술래잡기는 다양한 방법을 써서 놀이 자체에 변화를 주기도 합니다. 쪼그려 앉아 있는 동안 잡히지 않는 '앉은뱅이 술래잡기', 높은 데 올라가면 잡히지 않는 '올라가기 술래잡기' 등이 그것입니다.

안 보이겠지?

❸ 쌍륙과 승경도 - 주사위 또는 윤목을 던지며 즐긴 놀이

부부가
쌍륙을 두는군.

임자 순서요.

"뭐가 나올지 잘 보시오. 자, 던집니다."

삼국 시대에 쌍륙(雙六)을 할 때면 참가자들은 자못 긴장한 표정을 짓
곤 했습니다. 예측할 수 없는 우연으로 승부가 결정되기에 그랬습니다.
그도 그럴 것이 말판의 말이 몇 칸 가는지 대나무통에서 나온 주사위로
정했으니까요.

'쌍륙'은 주사위 두 개를 동시에 던져 나온 숫자만큼 전진하여 승부를 내는 놀이입니다. 각자 자기 말 15개를 일정한 방법으로 판 위에 늘어놓은 뒤 주사위 두 개를 던집니다. 그리고 나온 수만큼 자기 말을 움직여 판을 돌아갑니다. 자신의 말이 상대방의 궁에 먼저 들어가면 이깁니다.

"혼자 가지 말고 두 개를 겹쳐야겠군."

말이 전진하는 점에서는 장기와 비슷하고, 말 한 개만 세워나가지 말고 2개 이상 겹쳐 세워나가는 게 유리한 점은 윷놀이와 비슷합니다. 여섯, 여섯의 수목(數目, 주사위 숫자)이 나면 이길 확률이 높기에 쌍륙이라고 합니다.

조선 시대에는 양반층이 쌍륙을 즐겼고, 여성들도 안방에서 쌍륙으로 시간을 보내곤 했습니다.

"우리는 승경도를 하자!"

어른들이 쌍륙을 즐겼다면, 양반가 아이들은 승경도(陞卿圖)를 자주 했습니다. '승경도'는 벼슬이 오르는 그림이란 뜻이고, 가장 낮은 벼슬에서 출발해 최고 벼슬까지 올라가는 놀이입니다. '윤목'이라 부르는 모서리에 눈금이 새겨진 숫자 방망이를 굴린 뒤 1부터 5 중에서 나온 수만큼 칸을 세어 말을 놓습니다.

"어이쿠, 사약을 받았네."

단순해 보이지만 자칫하면 파직되어 변두리로 밀려나거나 사약을 받을 수 있으므로 긴장과 재미가 있습니다. 승경도는 관직 제도가 복잡하고 벼슬 명칭이 많은 점을 고려해, 재밌게 그걸 익히도록 고안된 놀이입니다. 《용재총화》를 쓴 성현에 따르면, 조선 초기 하륜이 만들어 보급했다고 합니다.

20세기에 유행한 뱀주사위 놀이도 따지고 보면 승경도와 비슷한 놀이라고 말할 수 있습니다. 놀이는 돌고 도는 모양입니다.

우리 뱀주사위 놀이하자!

그래!

좋아!

뱀주사위 놀이

❹ 말뚝박기 - 말타기를 흉내 낸 데서 유래한 놀이

"가위바위보, 이겼다!"

말뚝박기는 두 편으로 나눈 뒤 가위바위보로 누가
먼저 말이 될지 결정합니다. 진 편 중 대장이 마부가
되어 똑바로 서면 나머지 사람들은 허리를 숙인 채 앞사람
가랑이에 머리를 끼워 말 등을 만듭니다.

이긴 편은 달려가서 그 말 등에 올라탑니다. 맨 끝에 있는 말은 뒷발질
하며 말타기를 방해합니다. 말에 올라타는 과정에서 말이 쓰러지면 몇 번
이고 다시 말을 만들어야 합니다. 이긴 편 사람들 모두 무사히 말 등에 차
례로 올라타면 대장끼리 가위바위보 해서 누가 말이 될지 다시 결정합
니다.

"말타기 정말 재밌다!"

말을 타는 쪽은 신나지만 말 노릇을 하는 쪽은 무척 힘듭니다. 이 놀이는 말에 올라타는 모습을 연상시킨다 하여 '말타기', 말 신세인 아이들이 말뚝을 박은 듯이 보인다고 해서 '말뚝박기'라고 불립니다.

어른들의 말타기에서 유래된 이 놀이는 우리나라뿐만 아니라 일본, 터키, 스페인, 네덜란드 등에서 오래전부터 즐겼습니다.

❺ 연날리기 - 바람구멍 덕분에 가능한 한국 고유의 연싸움

"젖혀서 끊어요!"

예전에는 겨울에 연싸움을 자주 했습니다. 이리저리 연을 조종한 뒤 바람의 힘을 이용해 상대 옆줄을 지나가며 끊으면 이기는 놀이였지요. 연싸움을 위해서 연줄에 풀을 바른 뒤 돌가루나 구리가루를 바르는 사람도 많았습니다. 그러면 연줄이 날카로워지니까요.

"잘 가라!"

본래 연날리기는 조선 시대에 한 해의 액운을 멀리 보내는 행운의 풍속으로 널리 행해졌습니다. 연의 한쪽에 厄(불행 액) 또는 '送厄(송액, 액을 날려 보낸다)'이라고 쓰고 다른 쪽에 자기 생년월일과 이름을 적은 뒤 멀리 날려버리며 한 해 동안 나쁜 일이 없기를 바랐습니다.

"기술을 부리면 흥미진진하겠어요."

조금 더 재밌게 놀고자 연싸움을 했습니다. 연은 세계 여러 나라에서 만들어졌지만, 우리나라 연은 연 가운데를 둥글게 오려내

어 바람구멍을 만드는 것이 특징입니다. 덕분에 우리 연은 위아래, 좌우, 급강하, 급상승 등을 조절할 수 있습니다. 강한 바람을 받아도 바람이 잘 빠지므로 연이 망가질 염려도 없습니다.

"연이 솔개를 닮았네."

다른 나라 연에는 바람구멍이 없어서 대부분 바람의 힘에만 의존해야 합니다. 연의 모양과 크기만 다양합니다. 일본 방패연에도 바람구멍이 없고 대신 사각형 밑에 종이로 만든 다리를 두 개 붙입니다.

"방패를 닮았네."

우리나라 연은 꼬리 없는 직사각형 방패연이 대부분입니다. 하지만 과학적인 바람구멍을 이용해 자유자재로 방향을 바꿔가며 날릴 수 있습니다. 또한 연실을 감거나 풀어서 길이를 조절할 수도 있습니다. 다루는 사람의 기술에 따라 연날리기를 조절할 수 있기에 연싸움이 가능한 것입니다.

그러하기에 연날리기는 기본적으로 지역의 기후 환경을 활용한 지혜의 산물이지만, 연싸움은 과학을 바탕으로 한 놀이라고 말할 수 있습니다.

❻ 꼭두각시놀음 - 보면서 빠져드는 TV와 공연 인형극의 원형

꼭두각시놀음
보러 오세요.

어머, 우리 마을에
남사당이 왔네!

구경 가자.

'꼭두각시'는 옛날 꼭두각시놀음에 나오는 인형을 말합니다. '꼭두'는 정수리나 꼭대기를 이르는 말이고, '각시'는 젊은 여자 곧 색시를 이르는 말입니다. 타락한 양반과 관리가 각시와 함께 출연하는데 각시가 주인공이므로 '꼭두각시놀음'이라고 합니다.

"인형들이 말하니 정말 사람 같네요."

꼭두각시놀음에서는 인형만 보이게 하고, 사람은 숨은 채 손에 연결된 줄로 인형의 머리와 팔다리를 움직입니다. 이에 연유하여 '꼭두각시처럼 행동하지 말라'는 말은 '생각 없이 기계적으로 행동하지 말라'는 뜻으로 쓰이고 있습니다.

남사당 꼭두각시 놀음

男寺堂

박첨지다!

"으하하. 저 사람 하는 짓이 너무 웃겨!"

꼭두각시극 유래는 중국 수(隋)나라 《안씨가훈(安氏家訓)》이라는 책에 적혀 있습니다. 대머리[禿]인 곽(郭)씨가 우스갯짓과 놀이를 잘했는데, 후대 사람들이 그 생김새와 행동을 인형놀음으로 만들어 곽독(郭禿)으로 호칭했다는 기록이 나옵니다.

"괴뢰희 보러 가세."

인형놀음은 '괴뢰희'라고도 불렸습니다. '괴뢰'는 이상야릇한 탈을 씌운 인형이란 뜻입니다. 오늘날에는 인형처럼 누군가의 조종을 받는 사람도 '괴뢰'라고 말합니다. 곽독과 괴뢰희로 불린 인형놀음은 우리나라의

96

인형놀음에 영향을 끼쳤습니다.

"광노름이군."

곽독은 '광노름' 또는 '곡도각시'로 번역되었고 18세기 이후 남사당패에 의해 조선 전역에 널리 퍼졌습니다. 꼭두각시극은 인형을 통해 세상의 잘못된 점을 비웃고 꾸짖는 내용을 담고 있습니다.

꼭두각시놀음은 고대부터 현재까지 전래한 유일한 민속 인형극이라는 데 큰 의미가 있습니다. 박첨지 일생을 1막부터 8막까지 대본에 따라 진행하는 체계적인 면도 있습니다. 그러하기에 꼭두각시놀음은 오늘날 어린이를 위해 많이 공연되는 TV나 연극에서의 인형극 원형이라고 말할 수 있습니다.

❼ 널뛰기 - 균형 감각과 체력이 필요한 놀이

"쿵, 슝!"

널뛰는 모습을 보면 두 사람이 번갈아 위아래를 오르내립니다. 지렛대 원리를 이용한 널뛰기 특성으로 인한 독특한 풍경입니다. '널뛰기' 는 긴 널빤지의 한가운데에 짚단이나 가마니로 밑을 괴고, 양 끝에 한 사람씩 올라서서 마주 보고 번갈아 뛰며 즐기는 놀이입니다. 이때 가운데에 한 사람이 앉아서 무게 중심을 잡아 줍니다.

"널판 위에서 춤추는 것 같네요."

최참판댁 도령은 키가 크고요.

김초시네 강아지는 7마리.

아이고, 잘 뛰네!

　'초판희' 또는 '판무'라고도 하는데 '판 위의 춤'이란 뜻입니다. 널뛰기는 우리 고유 민속놀이로서 여자들이 설날이나 단오에 즐겼습니다. 널뛰기 유래에 대해서는 두 가지 설이 있습니다.

　첫째, 부녀자 외출이 자유롭지 못했던 때에 담장 밖 세상 풍경과 남자들을 몰래 보기 위해서 널을 뛰었다는 설입니다.

　둘째, 감옥에 갇힌 남편을 보기 위하여 부인들이 계획적으로 널을 뛰면서 담장 너머로 옥 속에 있는 남편 얼굴을 번갈아 엿보았다는 설입니다.

전자의 설이 더 유력하지만, 어느 설이든 간에 여성들이 답답한 마음을 풀기 위해 널뛰기했음을 느끼게 해 줍니다. 실제로 널뛰기는 여성들만의 놀이로서, 여성들이 자유롭게 밖으로 나다니지 못했던 조선 시대에 명절 때마다 널리 행해졌습니다.

"처녀 시절에 널을 뛰지 않으면 시집가서 아기를 낳지 못한다네."

위와 같은 말도 있고, 설날에 널뛰기하면 일 년 내내 가시에 찔리지 않는다는 속신도 있는데 이 모두가 여성들에게 널뛰기를 권유하기 위해 생긴 말입니다.

널뛰기는 보기보다 어렵습니다. 혼자만 잘한다고 높이 뛸 수 있는 것이 아닐 뿐만 아니라 힘이 세다고 되는 것도 아닙니다. 적당한 때에 한 사람은 딛고 한 사람은 뛰어오르는 조화가 중요합니다. 그런 점에서 널뛰기는 협동심을 일깨우게 만드는 놀이인 셈입니다.

"시소 타기와 비슷하네요."

원리는 같아도, 시소는 앉아서 하는 안정적인 놀이인 데 비해 널뛰기는 높이 솟아오르며 즐기는 균형 감각이 필요한 놀이라는 점은 다릅니다. 몇 차례 뛰면 금방 지치는 운동이기도 합니다. 널뛰기 대회에서는 가장 높이 솟아오르는 사람이 우승을 차지합니다.

제4부

유네스코
인류무형문화유산
5가지

❶ 농악 - 신명 나는 음악과 멋진 상모돌리기

"지휘자가 누구인가요?"

농악(農樂)을 처음 본 외국인들은 지휘자가 누구인지 헷갈립니다. 많은 사람이 어울려 이리저리 오가면서 신명 나게 곡을 연주하기 때문입니다. 잘 모르는 사람이 보면 지휘자 없는 음악대로 생각할 수도 있습니다.

농악은 예로부터 농민들 사이에서 전승되어온 우리 고유의 놀이입니다. 농악대는 여러 사람으로 구성됩니다. 여기에는 장구, 북, 꽹과리, 소고(작은 북), 젓대(대금) 등 주로 타악기가 동원됩니다.

"자, 한바탕 놀아봅시다!"

농악은 방 안이나 실내가 아닌, 넓은 뜰이나 들에서 춤추고 노래하며 노는 것이 특징입니다. 그 이유는 농악의 탄생 배경에 있습니다. 농악은 농민의 노고를 위로하기 위하여 행하는 음악입니다. 농사일이 바쁜 시기 농부들이 서로 농작을 차례로 도우며 일할 때 힘을 돋우어 능률을 올려 주는 역할을 합니다.

"듣고 보노라니 신나고 힘이 솟네요."

농악놀이는 씩씩하고 활달한 우리 민족의 기질과 품격을 그대로 보여 줍니다. 농악대의 춤과 소리는 절로 어깨를 들썩이게 만드는데, 농악대 가 놀이마당을 펼칠 때는 한 사람씩 나와서 혼자 연기하기도 하지만 대 부분은 지휘자의 이끎에 따라 집단으로 놀이합니다.

농악놀이에서는 꽹과리 치는 사람이 지휘자입니다. 그를 '상쇠'라고 합니다. 상쇠는 항상 대열의 선두에 서서 악대 진영을 여러 형태로 바꾸어 가며 악곡의 변화도 꾀합니다. 상쇠는 머리에 상모를 단 전립(벙거지)을 씁니다. 상쇠는 상모를 앞뒤로 흔들기도 하고 뱅뱅 돌리기도 하여 재주를 부리며 춤추는데 이것을 상쇠놀이라고 말합니다.

"우와, 멋있다!"

'상모돌리기'는 특히 인기가 많기에 요즘에는 상쇠가 아닌 사람들도 상모를 쓰고 단체로 묘기를 보여 주곤 합니다.

우리나라의 농악은 외국에서 공연하면 독특한 음악과 분위기로 항상 인기를 끕니다. 한국의 농악은 그 독창성을 인정받아 2014년 유네스코 인류무형문화유산으로 등재됐습니다.

❷ 택견 - 각자 몸에 맞게 기술을 펴는 외유내강 고유 무술

"이크! 에크! 이크! 에크!"

택견 연습하는 모습을 보면 '이크 에크' 소리를 내면서 몸을 덩실거립니다. 모르는 사람 눈에는 장난스럽게 보이기도 합니다. 하지만 이런 소리와 몸짓에는 나름의 이유가 있습니다.

'이크'는 숨을 들이쉬면서 배에 힘을 주는 소리입니다. 다시 말해 배에 힘주며 '익' 소리를 낸 뒤 '흐-' 하며 숨을 쉬는 게 바로 '이크'입니다. 그렇게 하면 '익' 할 때 기가 모이고 '흐-' 할 때 기가 순환됩니다. '에크'는 이와 반대로 숨을 내쉬면서 내는 소리입니다. 그래서 택견을 수련할 때 이크 에크 소리와 함께 리듬을 타면서 배에 들어가는 힘을 조절합니다.

"어이쿠!"

우리가 놀랐을 때 내뱉는 '아이쿠'와 '에구머니'도 '읔' 또는 '엨'과 관련된 의성어입니다. '에구머니'는 '에크'와 '어머니'의 합성어입니다. 이처럼 우리 민족 특유의 기 문화를 반영한 소리가 이크와 에크인 것입니다.

'태껸'이라고도 불리는 택견은 한국 전통 무술입니다. 대한민국의 중요 무형문화재 제76호로 등록되어 있고, 2011년 유네스코 인류무형문화유산으로 지정되었습니다.

택견 기술의 기본은 품(品)밟기입니다. 口(입구) 자를 하나씩 밟으며 삼각형 모양을 유지하면서 무릎을 굽혔다 펴는 오금질을 결합한 동작입니다. 발을 움직이는 기술이 보기에 우습지만 실제로는 먹이를 덮치는 맹수의 앞발처럼 매섭게 공격할 수 있는 자세입니다.

"택견은 춤추는 것처럼 보이기도 하네요."

택견은 겉으로는 부드럽게 보이지만 매우 위력적인 외유내강 무술입니다. 기술의 기본은 손으로 잡아 던지는 손질과 발로 상대를 견제하거나 치는 발질입니다. 자연스러운 흐름으로 걸음을 밟으면서 순식간에 상대를 제압합니다. 일제 강점기에 일본이 택견을 강제로 금지한 이유도 여기에 있습니다.

"다리걸기, 발질, 손질, 던지기, 활갯짓…"

택견 용어에는 한자가 없고 한글만 있습니다. 우리 고유 무술이기에 그렇습니다. 대련할 때는 발로 차거나 걸어 넘어뜨리어 승부를 겨루는 게 특징입니다.

덜미잽이!

덧걸이!

곧은발질!

솟구치기!

택견에는 다양한 공격과 방어 기술이 있어요.

❸ 씨름 - 슬기를 발휘해 힘쓰는 한국 고유 운동

이얍!

씨름은 삼국 시대 초기에 고구려에서 성행한 운동입니다. 그 모습은 고구려 고분 벽화에 남아 있습니다. 씨름은 고려와 조선에서도 궁궐과 민간을 가리지 않고 유행했습니다. 조선 왕조 때 명나라에서 사신이 오면 남산에 씨름판을 벌여 구경시키는 접대 절차도 있었습니다.

우리나라 문헌에 씨름에 대한 기록이 최초로 나타난 것은 《고려사》에서입니다. 충혜왕 즉위년(1330)의 기록에는 이렇게 적혀 있습니다.

"왕은 아첨하는 신하 배전(裵佺)과 주주(朱柱) 등에게 나랏일을 맡기고 날마다 내시들과 더불어 씨름을 하니 위아래 예절이 없었다."

씨름 구경이 워낙 재밌어서 왕이 아예 직접 나서서 씨름하느라 세월을 보낸 것입니다.

씨름 선수를 가리키는 호칭은 시대에 따라 달랐습니다. 고려 시대에는 '용감한 사람'이라는 뜻에서 용사(勇士)라고 불렀습니다. 조선 시대에는 '힘센 사람'이라는 뜻에서 역사(力士)라고 불렀습니다. 오늘날에는 씨름 경기에서 우승한 선수에게 천하장사(天下壯士)라는 호칭을 붙여 주고 있습니다. '장사'는 '힘이 아주 센 사람'을 이르는 말입니다. 표현은 조금 다

르지만, 용기를 지닌 힘센 사람을 씨름 선수로 보아온 것입니다.

"다리를 걸거나 잡아채!"

힘센 사람들이 기술을 발휘해 승부를 겨루는 모습은 보기만 해도 흥미진진합니다. 마치 자기가 힘을 쓰는 듯 구경하는 사람이 힘을 주기도 합니다. 조선 시대 세종 대왕도 씨름을 좋아하여 경회루 북쪽에 앉아 역사들의 씨름 구경하기를 즐겼습니다.

"몸집 작은 선수가 뒤집기로 큰 덩치를 넘기다니 대단하네!"

민간에서도 씨름을 즐겼는데, 우승자에게는 상으로 황소 한 마리를 주었습니다. 그러면 우승자는 황소를 타고 자랑스레 마을을 한 바퀴 돌곤 하였습니다. 당시에는 황소가 큰 재산이었습니다. 또한 황소는 농업 국가에서 중요한 동물이었기에 농사일에 필요한 황소를 줌으로써 농사일을 장려한 의미도 있습니다.

샅바를 매고 힘과 슬기를 겨루는 한국의 씨름은 2018년 유네스코 인류무형문화유산으로 지정되었습니다.

난 천하장사다!

❹ 줄다리기 - 서로 줄을 잡아당기며 노는 이유

"영차, 영차!"

줄다리기는 굵은 밧줄 하나만 있으면 즐길 수 있는 놀이입니다. 줄다리기와 비슷한 운동은 기원전에 동아시아 전역에서 이미 일반화되어 있었습니다. 논농사를 짓는 지역에서 절대적으로 필요한 비를 기원하며 풍년

을 비는 농경의례로 줄다리기를 한 것입니다.

"동시에 힘을 주어야 유리합니다."

중국에서는 당나라 때 줄다리기를 '견구(牽鉤)'라고 불렀습니다. '견'은
끌어당김, '구'는 갈고랑이를 뜻하는 말이니, '견구'는 '잡아끌어 낚기' 또
는 '잡아당기기'라는 의미임을 알 수 있습니다.

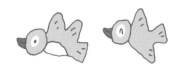

"신호와 함께 동시에 줄을 잡아당겨요."

최초의 줄다리기는 군인 훈련 중 한 과목이었습니다. 장교의 지휘를 받
으며 사병들이 두 조로 나뉘어 대나무로 만든 줄을 손에 감고 북소리에
맞추어 잡아당겼습니다. 이처럼 대항 경기로서의 줄다리기는 협동심과
단결력을 북돋우는 데 매우 효과적이었습니다.

승부를 겨루는 줄다리기는 준비물이 간편하고 오락적 성격이 강해서 백성들도 자주 즐겼습니다. 하여 의식으로가 아닌 놀이로서의 줄다리기도 많이 행해졌습니다.

"줄을 잡아당기는 놀이를 줄다리기라고 하네."

견구는 우리나라에서 '줄다리기'라고 불리며 널리 행해졌습니다. 명절이 오면 사람들은 줄다리기 경기를 벌여 풍년과 행복을 기원하였습니다. 줄다리기는 주로 대보름날에 마을 대 마을이 힘을 겨루는 행사로 치러졌습니다.

"필요한 시기에 비를 적절히 내려 주소서!"

민간에서는 마을의 단결력을 기르는 동시에 비를 기원하고자 줄다리기를 했습니다. 줄의 모양이 비[雨]의 신인 용(龍) 또는 빗줄기와 비슷한 까닭에 벼농사가 잘되도록 비를 내려달라는 소원을 담아 줄다리기를 한 것입니다.

20세기 이후에는 학생들의 단합심을 기르는 경기로 운동회에서 줄다리기가 널리 행해졌습니다.

우리나라의 줄다리기는 필리핀, 베트남, 캄보디아의 줄다리기와 함께 2015년 유네스코 인류무형문화유산으로 지정됐습니다.

❺ 강강술래 - 손잡고 합창하며 정겨움과 흥겨움 느끼는 놀이

"강강술래, 강강술래."

강강술래는 전라도 지방에 전하는 민속놀이이며 젊은 여자들만 참가하는 특징이 있습니다.

달이 뜨면 부녀자들이 서로 손을 이어 잡고 둥근 원을 그리면서 노래하며 오른쪽으로 돌기 시작합니다. 이때 목청 좋은 사람이 맨 앞이나 둥근 원을 이룬 한복판에 서서 소리를 먹이면 나머지 사람들은 '강강술래' 하고 후렴을 합창하면서 빙빙 돌아가며 춤을 춥니다.

"달 떠온다 달 떠온다, 강강술래. 동해동창 달 떠온다, 강강술래."

지역에 따라 가사는 조금씩 다르지만, 강강술래는 처음에 느린 가락으로 나아가다 차츰 노래도 빨라지고 춤도 빨라집니다. 나중에는 거의 뛰다시피 하다가, 사람들이 지치면 놀이를 끝냅니다.

강강술래의 유래에 대해서는 두 가지 설이 있습니다.

하나는 원시 시대 부족이 달밤에 축제를 벌여 노래하고 춤추던 풍습에서 비롯된 민속놀이라는 설입니다. 달은 여성을 상징하므로 여성들이 달 밤에 무리 지어 어울린 것이 놀이가 됐다고 합니다.

다른 하나는 이순신 장군이 왜군에 대한 심리전으로 만들었다는 설입니다. 왜군이 해안에 상륙하는 일을 감시하는 동시에 왜군에게 조선군 병력이 많은 것처럼 보이게 하고자 부녀자에게 남자 옷을 입혀 산을 돌게 했다고 합니다.

"언덕에서는 해안이 잘 보이네."

전라도 서남 해안 지역에서만 강강술래가 성행한 것으로 미뤄 후자가 설득력 있습니다. 또한 어느 설이 옳든 임진왜란이 끝난 뒤에도 그곳 부녀자들이 당시를 기념하기 위하여 덥지도 춥지도 않은 8월 한가위 밤을 택해 연중행사로서 강강술래를 하고 있습니다.

"어와 우리 친구네들 강강술래."

강강술래는 손을 잡은 채 크게 빙빙 돌며 '강강술래' 후렴을 합창으로

왜구를
물리치기 위해
만들었소.

반복하는 까닭에 참여자들에게 정겨움과 흥겨움을 안겨 줍니다. 한국에 서 열리는 세계적인 축제 폐막행사에서 사람들이 강강술래를 흉내 내면 서 즐거워하는 모습을 가끔 볼 수 있습니다.

강강술래는 2009년 유네스코 인류무형문화유산으로 지정됐습니다.

강강술래 강강술래~